L'imagerie Milan
**petite enfance**

# Les chevaliers

texte de
**Pascale Hédelin**

illustrations de
**Didier Balicevic**
**Sylvie Bessard**
**Marion Billet**
**Hélène Convert**

D1209182

**MILAN**
jeunesse

# Le sommaire

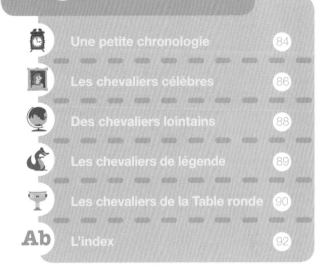

**écrire** Tous les mots de cette imagerie sont présentés avec leur article défini. Pour aider votre enfant à mieux appréhender la nature des mots, les verbes et les actions sont signalés par un cartouche.

**?** Pour vérifier les acquis et permettre à votre enfant de s'autoévaluer, une double page « Voyons voir » est présente à la fin de chaque grande partie.

 Les « Pages mémoire » en fin d'ouvrage présentent un récapitulatif de savoirs fondamentaux.

**Ab** Retrouvez rapidement le mot que vous cherchez grâce à l'index en fin d'ouvrage.

En bas de chaque planche se trouvent des renvois vers d'autres pages traitant d'un sujet complémentaire. Ainsi, vous pouvez varier l'ordre de lecture et mieux mettre en relation les savoirs.

# La vie
## au Moyen Âge

# Les gens de l'époque

Un roi très puissant, des paysans sans droits ou presque... Au Moyen Âge, chacun a sa place et son rôle.

Le pape est le chef de la religion catholique.

Le roi et la reine règnent sur un pays.

Le comte est riche et puissant.

Le seigneur et la dame possèdent un château et un domaine.

Le chevalier sert le seigneur.

Les moines prient et écrivent.

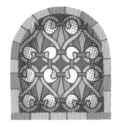 

La religieuse prie.

le marchand

la marchande

l'artisan

l'ouvrier

la paysanne
ou la manante ou la vilaine

le paysan
ou le manant ou le vilain

l'esclave

le serf

# Qui sont
## les chevaliers
?

Tu imagines le chevalier, fier sur son cheval, son épée à la main? Tu as raison, c'est à la fois un super-guerrier et un cavalier!

La plupart du temps, on doit être fils de seigneur pour devenir chevalier. Et on doit avoir un papa chevalier.

Le chevalier obéit à un maître, souvent un seigneur. Il protège son château en échange de terres ou d'argent. Ils s'arrangent!

# 🏰 Le château fort

Grand et solide, il montre
la puissance du seigneur.
On y est bien à l'abri !

le moulin

l'étendard

les hourds

jouer aux échecs

le chemin de ronde

faire
le guet

l'écurie

la basse cour

les douves

le puits

les latrines

l'archère
ou la meurtrière

la herse

les créneaux

le pont-levis

le donjon

les terres du seigneur

la chambre du seigneur

la tapisserie

la grande salle

le potager

la cuisine

le cellier

la chapelle

les cachots ou les oubliettes

la poterne

11

# Reste-t-il
encore
des châteaux forts
aujourd'hui ?

Tu rêves d'explorer un château fort! Tu aurais l'impression de retourner dans le passé, d'être un noble du Moyen Âge...

Mais ces châteaux sont très, très vieux : ils ont parfois 1 000 ans! Beaucoup ont été démolis et ne sont plus que des ruines.

Heureusement, certains ont été bien réparés. En visitant les uns ou les autres, à toi d'imaginer comment on y vivait...

L'attaque du château **60**
Une petite chronologie **84**

# Les habitants du château

Quelle foule! Beaucoup
de gens vivent au château,
et chacun d'eux a sa fonction.

Le seigneur
possède le château.

La dame est l'épouse
du seigneur.

Le page est un futur
chevalier.

la famille du seigneur
et de sa dame

La servante
sert la dame.

La lingère
range le linge.

La blanchisseuse
lave le linge.

La dame d'honneur
aide à organiser la vie
au château.

Les chevaliers
protègent le seigneur.

L'écuyer
est un futur chevalier.

Le connétable
dirige le château quand
le seigneur n'est pas là.

Le chapelain
est un prêtre.

Le chef cuisinier, ou maître queux, et le marmiton préparent les repas.

Le forgeron répare les armes.

Le boulanger fait le pain.

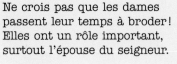

Ne crois pas que les dames passent leur temps à broder ! Elles ont un rôle important, surtout l'épouse du seigneur.

Le palefrenier prend soin des chevaux.

Le valet de chiens prend soin des chiens.

Le fauconnier dresse les faucons pour la chasse.

Celle-ci organise la vie au château et dirige les nombreux serviteurs. Elle a de l'autorité et, parfois, elle n'est pas facile !

Les soldats protègent le château.

Le prisonnier est enfermé.

Le serviteur sert les habitants du château.

Elle éduque ses enfants. Ses filles apprennent à lire, à danser, à monter à cheval... À l'époque, l'école n'existait pas !

La fileuse transforme la laine en fil.

Le concierge allume les bougies du château.

Le valet de chambre prépare le lit du seigneur.

13

# La ville

Entourée de remparts, protégée par le château, la ville est bien gardée et animée.

la cathédrale

le pèlerin

l'apprenti

l'étudiant

le cordonnier

la taverne

l'échoppe du coutelier

le marché

l'orfèvre

la maison à colombages

les jongleurs

l'enseigne de l'auberge

le mendiant

le cochon

le poissonnier

le lépreux

le héraut

transmettre des messages officiels

payer l'octroi pour entrer en ville

garder la porte de la ville

le beffroi

la cloche
du beffroi

éteindre
un incendie

le drapier  l'apothicaire

être pendu
à la potence

la marchande
d'épices

le porteur d'eau

le bourgeois

le bourreau

le veau

le brigand
ou le coupeur de bourse

le sergent

être puni au pilori

maintenir
l'ordre en ville

les remparts

Tu serais surpris de marcher dans une ville du Moyen Âge... Les rues sont étroites, boueuses, elles n'ont pas de trottoirs.

Un vilain ruisseau coule au milieu avec toutes les saletés que les gens jettent par la fenêtre. C'est sale et ça sent mauvais !

La nuit, il fait très sombre, car il n'y a pas d'éclairage dans les rues. Gare aux brigands qui rôdent !

# Les paysans

Les paysans vivent et travaillent sur les terres du seigneur, à la campagne.

le champ d'orge

les graines

semer

la vigne

l'araire    labourer

moissonner

l'intendant

la houe

protéger les terres du seigneur

presser le raisin

le fléau

la hache

les céréales

tuer le cochon

cueillir des châtaignes

la chaumière

la veillée au coin du feu

la soupe de légumes

le puits

tondre un mouton

la serpe

la faucille

la faux

les poules

le potager

Au Moyen Âge, les paysans sont bien plus nombreux que les seigneurs et les chevaliers. Pourtant, ils ne commandent pas.

Ils donnent de l'argent ou une partie de leur récolte au seigneur, font des travaux pour lui... En échange, le seigneur les protège.

Leur vie n'est pas amusante, car leur travail est rude et ils sont pauvres. Parfois, ils se révoltent contre les seigneurs.

# La forêt

À l'époque, les forêts sont immenses, touffues et pleines de bêtes sauvages !

la biche

les brigands

le faon

le cerf

le geai des chênes

la chouette hulotte

le lapin ou le conil

récolter la sève sucrée du bouleau

cueillir des plantes médicinales pour se soigner

le lynx

le châtaignier

le renard

le lièvre

la serpette

la martre

le champignon

18

le sanglier

l'ours brun

défricher
la forêt pour
cultiver la terre

l'ermite

le loup

l'écureuil

se réfugier
en forêt pour
fuir la guerre

le chêne

le bûcheron

le daim

la cognée

couper du bois
pour se chauffer

# Est-ce
qu'il y a des loups **?**

As-tu peur du loup? Au Moyen
Âge, il hante les forêts avec
son groupe, la meute. Il est fort,
malin et c'est un grand chasseur.

Il attaque surtout les troupeaux.
Mais s'il a la rage, une maladie,
il devient féroce. Parfois aussi,
il croque des enfants isolés...

À cette époque, les gens
le craignent et racontent des
légendes sur lui. Ils le chassent.
Mais aujourd'hui, il est rare...

La chasse **74**

# Voyons voir...

Parmi ces personnages du Moyen Âge, qui est le prêtre? Qui est le soldat? Qui est le paysan? Qui est le forgeron? Connais-tu ces métiers?

Regarde ces trois images.
À ton avis, que font ces personnages?

Que se passe-t-il sur cette image? Pourquoi les personnages jettent-ils de l'eau sur la maison?

Sais-tu pourquoi les maisons brûlaient souvent au Moyen Âge?

Sur cette image du château fort, où vois-tu le pont-levis, la herse, le puits, les latrines, le cachot?

Reconnais-tu ces animaux sauvages?
Sais-tu comment ils s'appellent? En as-tu déjà vu en vrai?
Où était-ce : dans la forêt, au zoo?

# Devenir
## chevalier

# 🏰 L'enfance du chevalier

Au château, un petit garçon
est né. On prend soin
de ce futur chevalier !

le lit à baldaquin

la dame

le berceau

le seigneur

la sage-femme

la naissance du bébé

le bain
du nouveau-né

protéger le bébé
et l'emmailloter

la nourrice

nourrir le bébé

le parrain

baptiser le bébé

les nombreux frères et sœurs

la tante

apprendre l'histoire religieuse

écouter une histoire

grimper à un arbre

la balle de chiffon

l'arc

jouer au franc carreau et à la balle de chiffon

tirer à l'arc

la poupée

les billes

quitter sa famille à 7 ans pour devenir page

la toupie

# Quels noms porte-t-on au temps des chevaliers ?

Toi, tu as le prénom que tes parents ont choisi. Mais à l'époque, un garçon porte celui de son père... et de son grand-père.

Il s'appelle par exemple Arnoul, Guillaume ou Charles. Mais il n'a pas de nom de famille, ça n'existe pas encore !

Souvent on ajoute un surnom : « le petit », « le boulanger », « du bois »... qui sont devenus des noms de famille... Connais-tu le tien ?

Les gens de l'époque 8
Les habitants du château 12

# Le page

Dans sa nouvelle famille,
le garçon devient un page.
Que de choses à apprendre !

le seigneur

le page

aider le seigneur
à s'habiller

servir le repas

couper la viande
du seigneur

apprendre à se battre
à l'épée de bois

nourrir les chevaux

soigner les chevaux

savoir réparer
les selles

monter à cheval

explorer la forêt

apprendre à chasser

apprendre à lire
et à écrire

apprendre les
bonnes manières

jouer aux échecs

étudier et prier
avec le moine

danser

écouter les aventures
racontées par les chevaliers

chanter

# Est-ce que
## les chevaliers filles, ça existe ?

Aujourd'hui, que tu sois fille ou garçon, on t'enseigne les mêmes choses. Au Moyen Âge, ce n'est pas vraiment le cas...

Les filles nobles apprennent beaucoup de choses... mais on leur enseigne à devenir de bonnes mères et épouses !

Au Moyen Âge, il n'y a pas de femmes chevaliers : on pense qu'elles ne sont pas faites pour la bagarre. Et toi, qu'en dis-tu ?

L'écuyer 28
La chasse 74

# 🛡 L'écuyer

À 14 ans, le page devient un écuyer.
Le voilà au service d'un chevalier.
Il commence à manier les armes.

lancer le javelot

faire de la lutte

s'exercer à la quintaine

faire des acrobaties

s'entraîner à combattre
avec une vraie épée

dresser des chevaux

faire le guet

ne pas se décourager

résister à la douleur

savoir aussi réfléchir

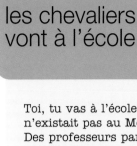

bien se tenir avec les autres,
être aimable : être courtois

# Est-ce que
## les chevaliers
## vont à l'école
?

Toi, tu vas à l'école, mais ça n'existait pas au Moyen Âge. Des professeurs particuliers enseignaient aux enfants riches.

savoir chevaucher et se
battre en même temps

aider le chevalier à
mettre son armure

Peu de gens savent lire et écrire. Et les livres sont rares et précieux! Les moines les recopient à la main et les décorent soigneusement.

porter l'écu du chevalier
allant au combat

se battre aux côtés
de son maître

Les écuyers sont si occupés qu'ils n'auraient jamais le temps d'apprendre tout ce que tu apprends à l'école!

s'occuper des chevaux
de son maître

aider le chevalier blessé

Le page **26**
L'adoubement **30**

# L'adoubement

C'est une grande cérémonie.
Vers l'âge de 20 ans, l'écuyer
est fait chevalier !

s'être coupé les cheveux

prier

prendre un bain pour
être propre et pur

la tunique

les amis
du jeune chevalier

le seigneur

la remise de l'épée

le cheval du
nouveau chevalier

l'écuyer du
nouveau chevalier

le fourreau
de l'épée

les éperons

offrir une terre
au chevalier, le fief

l'écu

le prêtre

les autres
jeunes chevaliers

jurer de
servir Dieu

## gifle-t-on le nouveau chevalier

Aïe! Ne crois pas que le seigneur cherche à punir le jeune chevalier. Par cette frappe, la colée, il pense lui transmettre sa force.

De plus, comme le chevalier y résiste bien, cela prouve qu'il est fort et maître de lui. C'est le seul coup qu'il acceptera de sa vie!

PAF

Le seigneur peut aussi adouber le chevalier en le frappant du plat de son épée... Il ne le blesse pas : c'est un geste officiel!

La grande fête **32**
Les armes **50**

# 🐣 La grande fête

Vive le nouveau chevalier !
Une joyeuse fête est organisée
en son honneur.

le repas de fête ou le banquet

l'échanson,
qui sert à boire

la coupe de vin

le fruitier

la table d'honneur

les fleurs et les herbes
parfumées

annoncer
le début
du repas

le bouffon

la vièle

le luth

les troubadours

le tranchoir

s'essuyer la bouche
sur la longière

se laver les mains
avant de manger

chanter à la gloire
des chevaliers

De nos jours, à midi, on déjeune. Au Moyen Âge, le déjeuner s'appelait le dîner. Et le soir, on soupait.

Au menu des chevaliers, il y a beaucoup de viande : des pâtés, des saucisses, du rôti de sanglier, de l'oie ou du cygne grillé...

Ils aiment aussi le poisson. Ils mangent peu de légumes mais apprécient les fruits, crus ou en tartes. Toi, qu'aimes-tu manger?

# À l'aventure

Le nouveau chevalier part
à l'aventure. Il doit prouver
ce dont il est capable.

être en quête d'aventures

chercher la bagarre

participer à des tournois

accomplir des exploits
et devenir célèbre

chercher une riche jeune
fille pour l'épouser

capturer d'autres
chevaliers

les libérer contre
de l'argent

# Est-ce que
tous les chevaliers
sont riches ?

Un chevalier, tu l'imagines riche ! En effet, si le chevalier est le fils aîné du seigneur, il aura son château et ses terres.

participer
à des batailles

protéger un voyageur
des brigands

Mais à une époque, de simples guerriers deviennent chevaliers lors d'une bataille. Ceux-là n'ont pas de seigneur qui les protège.

être accueilli
chez quelqu'un

Ils doivent donc trouver un seigneur qui les engage et de quoi s'équiper. Devenir chevalier coûte très cher, tu sais !

# Le code d'honneur

En principe, les chevaliers doivent respecter certaines règles : c'est le code d'honneur.

défendre un enfant
et risquer sa vie

être loyal, fidèle
à son seigneur

respecter
une honorable dame

être brave,
courageux et vaillant

ne pas craindre
la mort

ne jamais trahir ni abandonner
un compagnon

tenir une promesse

Tous bons et généreux, les chevaliers? Eh non, beaucoup d'entre eux ne respectent pas le code d'honneur...

ne pas attaquer
un ennemi désarmé

Certains se croient trop forts et s'imaginent que tout leur est permis! En bande, ils attaquent les dames et terrorisent les gens.

partager ses richesses
et aider les pauvres

D'autres sont des brutes, qui ne pensent qu'à s'amuser, se bagarrer ou s'enrichir! Tous les chevaliers ne sont pas des héros.

ne pas être jaloux
d'un autre

ne pas se mettre
en colère

La bagarre 56
Défendre une terre 57

# Voyons voir...

Remets dans l'ordre ces étapes de la vie d'un chevalier.

Lors de son adoubement, le jeune chevalier
reçoit ses nouveaux attributs.
Peux-tu les nommer ?

Regarde ces quatre images. Que se passe-t-il dans chacune d'entre elles ?
Que remarques-tu comme différences avec la façon dont on mange aujourd'hui ?

À ton avis, que fait chacun de ces chevaliers?
Lesquels respectent bien le code d'honneur des chevaliers? Pourquoi?

Ce page apprend plein de choses
afin de devenir un chevalier.
Que fait-il? Parmi ces activités,
lesquelles fais-tu à l'école toi aussi?
Laquelle préfères-tu?

# L'équipement

# Les chevaliers des premiers temps

Au fil du temps, l'équipement des chevaliers change.
Il est d'abord assez simple.

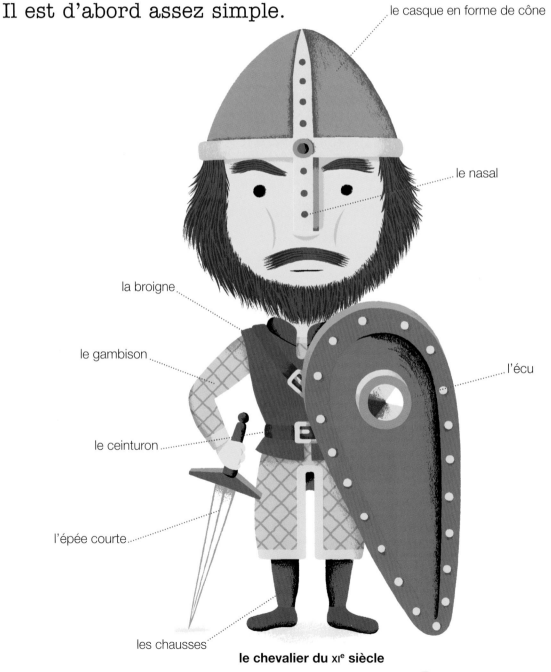

le casque en forme de cône

le nasal

la broigne

le gambison

l'écu

le ceinturon

l'épée courte

les chausses

**le chevalier du XI<sup>e</sup> siècle**

le camail

le haubert ou
la cotte de mailles

les mitaines

la cotte d'armes
ou le surcot

les éperons

**le chevalier du XIIᵉ siècle**

Regarde de près : la cotte de mailles est faite d'une multitude de petits anneaux de métal, reliés les uns aux autres.

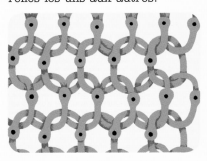

Elle pèse très lourd, surtout sur les épaules. C'est fatigant pour les chevaliers. Et ce n'est pas très confortable !

Elle n'est même pas efficace contre toutes les armes. Aïe, elle ne résiste pas aux violents coups du marteau d'armes !

# Les chevaliers en armure

Peu à peu, l'équipement s'améliore :
voilà les super-guerriers
couverts de métal!

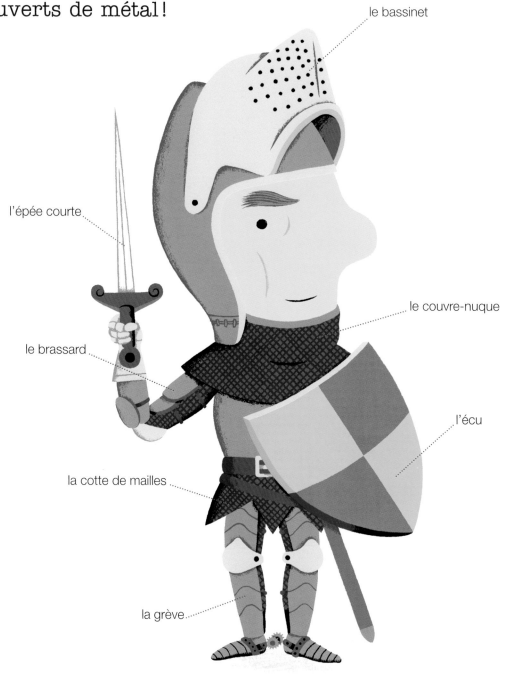

le bassinet

l'épée courte

le couvre-nuque

le brassard

l'écu

la cotte de mailles

la grève

**le chevalier du XIVe siècle**

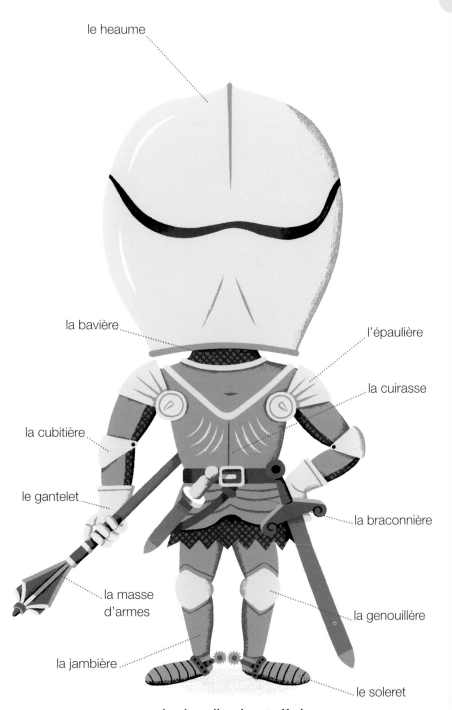

le heaume

la bavière

l'épaulière

la cuirasse

la cubitière

le gantelet

la braconnière

la masse d'armes

la genouillère

la jambière

le soleret

**le chevalier du XVᵉ siècle**

Tu penses peut-être que tous les chevaliers avaient une armure. En fait, elle devait être fabriquée à la taille exacte du chevalier.

Pour la fabriquer, l'armurier travaille pendant de longs mois. Cela coûte très cher au chevalier.

Les chevaliers pauvres ne peuvent pas s'offrir de belles armures. À la place du bassinet, ils ont un simple chapel de fer.

Les chevaliers des premiers temps **42**

Une petite chronologie **84**

# Les blasons

Chaque chevalier porte sur lui un dessin spécial qui le représente : le blason.

la bande

la croix

l'écartelé

le coupé

le barré

le chef crénelé

l'échiqueté

la bannière

le blason en forme d'écu

porter le blason de son père

le rouge pour le courage

le blanc pour la pureté

le noir pour la prudence

le lion pour la puissance

# Les casques

Sur la tête, les chevaliers ont un grand casque de métal. Il en existe de toutes sortes.

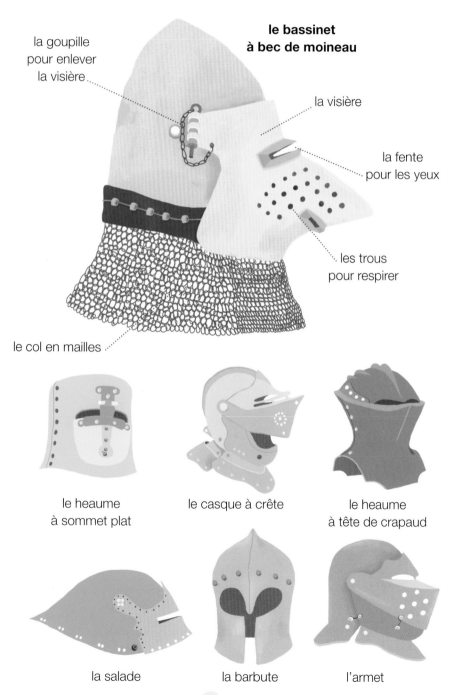

**le bassinet à bec de moineau**

la goupille pour enlever la visière

la visière

la fente pour les yeux

les trous pour respirer

le col en mailles

le heaume à sommet plat

le casque à crête

le heaume à tête de crapaud

la salade

la barbute

l'armet

Lequel est l'allié, lequel est l'ennemi? Pendant la bataille, les chevaliers tout en armure sont difficiles à reconnaître...

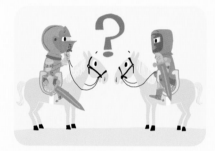

Grâce aux blasons, qui sont tous différents, ils peuvent s'identifier... et se battre l'un contre l'autre s'il le faut.

Après la bataille, ces symboles permettent aussi de savoir qui est mort : pour cela, le héraut regarde les images des blasons.

Les chevaliers en armure **44**
Après la bataille **64**

# 🦅 Les chevaux

Le chevalier a souvent plusieurs chevaux. Ce sont ses plus fidèles compagnons.

le cimier

le chanfrein

la selle

éperonner le cheval pour qu'il galope

le caparaçon

**le destrier en armure**

le roncin
du chevalier pauvre

le destrier
pour se battre

la haquenée
de la dame

le palefroi
pour défiler

le sommier
pour porter les bagages

le coursier
pour voyager et chasser

# Est-ce que les chevaux ont peur  ?

Les chevaux sont précieux et coûtent très cher au chevalier. Figure-toi qu'ils sont dressés exprès pour ne pas avoir peur.

Ils participent à leur façon à la bataille : ils foncent sur l'ennemi, ils donnent des coups de sabot, ils se cabrent...

Ils souffrent pendant les combats, car les soldats ennemis les blessent ou les tuent pour renverser leur cavalier.

La chasse **74**

# Les armes

Pour combattre l'ennemi,
le chevalier utilise des armes
de fer et de bois redoutables !

l'épée à deux mains

le fléau

l'épée pointue

le goupillon

la masse d'armes

la hache

la lance

l'écu

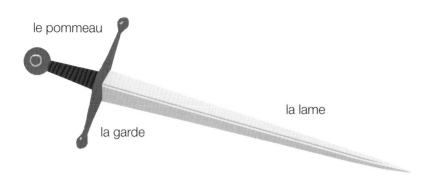

le pommeau

la garde

la lame

# Est-ce que
## c'est lourd,
une épée

Ton épée en plastique est légère...
Celle du chevalier était lourde,
mais il arrivait quand même
à la soulever et à la manier !

porter l'épée
au côté gauche

la saisir de la
main droite

offrir son épée
à son fils

En général, elle mesure la taille
d'un enfant et pèse le poids
de deux bouteilles de lait. C'est
fatigant à tenir à bout de bras !

redresser une
épée tordue

placer un porte-bonheur
dans le pommeau

Le chevalier y tient beaucoup,
elle représente sa force. Parfois
il lui donne un nom : « Joyeuse »
ou « Excalibur », par exemple.

Voici les noms des motifs de ces trois blasons. Relie chaque nom au motif correspondant.

Voici les noms de trois casques. Relie chaque nom au casque correspondant.

le chef crénelé     la croix     le barré

le heaume à sommet plat     le bassinet à bec de moineau     la salade

Avec ton doigt montre ce que porte chaque cheval sur son dos.

les nobles     les bagages     le chevalier     la dame

le destrier     la haquenée     le palefroi     le sommier

Ces trois chevaliers n'ont pas vécu à la même époque.
Lequel des trois est le mieux protégé? Pourquoi?

Regarde ces quatre armes du Moyen Âge.
Que remarques-tu comme différences entre le fléau et le goupillon?
Et entre l'épée pointue et l'épée à deux mains?

le goupillon

l'épée à deux mains

le fléau

l'épée pointue

À ton avis, est-ce qu'on utilise toujours des armes comme ça aujourd'hui?
Connais-tu un sport où l'on doit savoir manier l'épée?

# Les batailles

# ✕ La bagarre

Les seigneurs se disputent souvent et leurs chevaliers adorent se battre pour eux !

tendre un piège
à l'ennemi

détruire les récoltes
du seigneur ennemi

capturer le bétail
du seigneur ennemi

pousser son seigneur
à attaquer le voisin

voler les provisions
du voisin

s'affronter
pour le plaisir

# Défendre une terre

Deux seigneurs voisins se disputent le morceau de champ entre leurs terres. Les chevaliers les défendent.

menacer le
seigneur voisin

se battre en duel

gagner le duel

gagner la terre

Ce chevalier a trahi son seigneur : contre de l'argent, il a aidé un ennemi en cachette. C'est un traître !

Pour le punir, on le transporte devant tout le monde dans la « charrette de la honte ». Au passage, on se moque de lui.

Et pour finir, le voilà chassé pour toujours des terres du seigneur : il est banni. Pas trop cruel, comme punition !

Le code d'honneur **36**

# Le siège du château

Un seigneur ennemi et son armée font le siège du château : ils s'installent devant pour l'attaquer.

manger des rats

manquer d'eau

brûler ses récoltes pour ne pas les laisser à l'ennemi

aller chercher des renforts

se réfugier en ville

boucher les douves

le convoi de provisions

bloquer les routes

transporter les engins d'attaque

le messager

les renforts

les guetteurs

se préparer
à la bataille

recoudre les gambisons
des soldats

arriver au bout
des provisions

être affamé

le traître qui
empoisonne les
réserves d'eau

la garnison

encercler
le château

déclarer la guerre

le camp
des attaquants

demander aux adversaires
de se rendre

59

# Combien

## de temps dure
## un siège

?

Si le château résiste aux
premières attaques et a des
provisions, le siège peut être très
long. C'est pénible pour tous !

Au bout de 40 jours, les assiégés
peuvent se rendre sans perdre
leur honneur. C'est la règle. Cela
évite de nombreux morts !

Parfois, des gens du château
aident l'ennemi en cachette : la
nuit, ils leur ouvrent une porte.
Ouf, ça évite une longue bataille !

Le château fort **10**
L'attaque du château **60**

# L'attaque du château

C'est la bataille! Avec ses machines de guerre, l'ennemi bombarde le château.

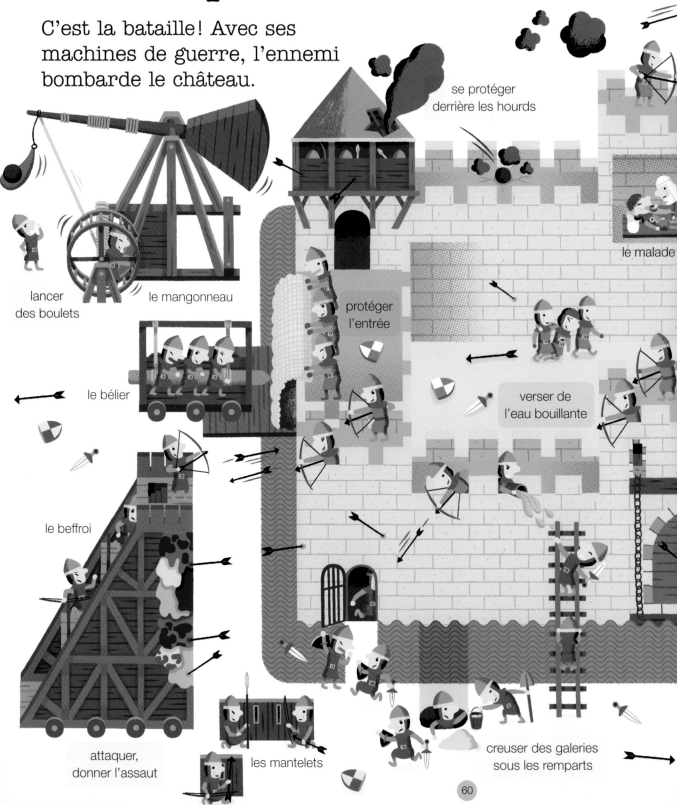

se protéger derrière les hourds

le malade

lancer des boulets

le mangonneau

protéger l'entrée

verser de l'eau bouillante

le bélier

le beffroi

attaquer, donner l'assaut

les mantelets

creuser des galeries sous les remparts

tirer des
flèches

éteindre l'incendie

les renforts

le mort

verser du
sable brûlant

lancer
des pierres

repousser
les échelles

les échelles
d'assaut

le trébuchet

la baliste

61

Quand ils veulent conquérir une région, les ennemis attaquent le château de l'adversaire, mais aussi la ville et les terres autour.

Ils en profitent pour voler tout ce qu'ils peuvent : les récoltes, les provisions, les chevaux, les armures, les trésors… Ils pillent.

Pour obtenir ce butin qui va les enrichir, les soldats et les chevaliers font souvent des massacres. Pas jolie, la guerre !

Le château fort **10**
Le code d'honneur **36**

# La guerre

Deux armées ennemies s'affrontent pour posséder une terre : c'est la guerre !

les fantassins

les chausse-trappes

la hallebarde

l'arc

le carreau

les routiers

l'archer

être piétiné par un cheval

recharger l'arbalète

tuer un ennemi en
fuite dans le dos

le carreau
incendiaire

l'arbalète

le combat
au corps à corps

le pavois

l'arbalétrier

mourir

la cavalerie

renverser son
adversaire à la lance

# Est-ce que
tous les chevaliers
sont courageux ?

Imagine une grande bataille
entre des milliers de guerriers
armés jusqu'aux dents. C'est
violent, et pourtant il faut foncer !

Certains chevaliers ont peur...
et s'enfuient. Eh oui, malgré leur
entraînement et leur armure,
tous ne sont pas très courageux.

Pourtant, d'autres guerriers
sont moins protégés qu'eux : les
fantassins, qui sont à pied. Sans
armure, ils se font massacrer...

Après la bataille **64**
Les chevaliers célèbres **86**

# Après la bataille

La bataille est finie.
Que de blessés et de morts
dans les deux camps!

les corbeaux

être abandonné

le champ de bataille

les loups

aider un
compagnon
blessé

achever
un ennemi

reconnaître
les morts

transporter
un blessé

être victorieux

les prisonniers

soigner un cheval

le chirurgien

dépouiller
un mort

couper une
jambe blessée

Tout le monde ne se fait pas tuer pendant la bataille. Des chevaliers meurent, bien sûr, mais en général on les respecte.

On préfère souvent les capturer et les garder prisonniers. Comme ils viennent d'une famille riche, ils ont de la valeur!

En échange de leur liberté, l'ennemi demande une rançon : c'est une forte somme d'argent. « Ouf, libre! »

La guerre **62**
La mort **80**

# D'autres batailles

Il existe plusieurs sortes de chevaliers.
Il y a ceux qui se battent en ville,
sur mer ou en terre lointaine.

le chevalier
des villes

protéger la ville

combattre
les brigands

combattre des
chevaliers ennemis

le chevalier
des mers

défendre un navire marchand
contre des pirates

faire la guerre et piller
le navire ennemi

le chevalier croisé

le guerrier sarrasin

combattre des hommes
d'une autre religion

le château des Chevaliers

l'hospitalier

soigner les pèlerins
malades

combattre les Sarrasins

le templier

le trésor
des Templiers

protéger les pèlerins

les chevaliers teutoniques

les guerriers mongols

# Est-ce que
## les chevaliers choisissent leurs missions ?

Un chevalier mène les batailles que son seigneur lui demande de faire. Si son pays est en guerre, il doit combattre l'ennemi.

Mais s'il a du temps de libre, il peut choisir de se battre en plus contre de l'argent... ou de rester se reposer au château !

À l'époque, des guerres, appelées les croisades, sont menées contre des gens qui ne sont pas de religion chrétienne. Que de morts !

Au Moyen Âge, les seigneurs
se faisaient souvent la guerre entre eux.
Leurs chevaliers se bagarraient...
Que se passe-t-il dans cette image ?

Le château est assiégé.
Retrouve dans l'image le traître
qui empoisonne l'eau du puits.

Où sont les guetteurs ? Où sont les attaquants ?

Relie avec ton doigt chacune de ces quatre armes au guerrier qui la porte.

Le fantassin
porte une petite épée.

Le routier porte
une grande hallebarde.

L'arbalétrier
tient une arbalète.

L'archer
tire à l'arc.

Regarde ces machines de guerre. Sais-tu les reconnaître ?
Le mangonneau permet d'envoyer de plus gros projectiles que le trébuchet.
La baliste est de plus petite taille.

Au Moyen Âge, les chevaliers participaient à la guerre.
Aujourd'hui, il n'y a plus de chevaliers : ce sont
les militaires qui protègent les différents pays ou font la guerre.
En as-tu déjà vu dans ta ville ou à la télévision ?

# La vie
## du chevalier

# ✖ La détente

En hiver, la météo n'est pas bonne : les seigneurs discutent et les chevaliers se reposent.

la discussion
entre seigneurs ennemis

le traité de la paix
pour l'hiver

le baiser de la paix

s'ennuyer

attendre les prochaines
batailles au printemps

jouer aux échecs

jouer au trictrac

écouter
des histoires

Tu aimes les histoires? Au château, on les adore! Certaines sont écrites dans des livres, mais la plupart sont chantées.

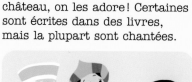

Elles parlent d'amour et d'aventures vécues par des chevaliers ou des rois. Elles font rêver et émerveillent!

D'autres histoires qu'on raconte se moquent de la religion et des chevaliers, comme celles du loup Ysengrin et de Renart.

écouter des
chansons

jouer à la soule,
à la crosse

prendre un bain

se faire masser

se faire soigner
ses mauvais coups

boire une tisane
calmante

# 🦌 La chasse

Les seigneurs et les chevaliers adorent chasser. C'est un sport et un plaisir!

les grelots

le faucon dressé

la chasse au vol

le chaperon

le sanglier

l'épieu

le gant de cuir

le fauconnier

affronter une bête sauvage

la biche

le seigneur

flairer le gibier

le chien préféré du seigneur

74

avoir de la viande fraîche à manger

prendre soin des chiens de chasse

sonner le cor

le veneur

poursuivre le gibier

le cerf

la meute de chiens

la belette

le renard

les rabatteurs

75

Le seigneur consacre une grande partie de son domaine à la chasse. Tu vois ce grand bois ? C'est sa réserve de chasse.

Cette zone est surveillée par des forestiers. En général, il est interdit aux paysans d'y chasser. Pas de pièges à lapin !

Si un braconnier se fait attraper, il risque d'être puni sévèrement : on peut lui couper la main ou même le tuer. Sans pitié !

La ville **14**
La forêt **18**

# Le tournoi

Pour s'amuser, les chevaliers s'affrontent dans des épreuves, le tournoi.

trembler pour
son champion

les juges

assister
au spectacle

sonner la trompette
pour commencer

**la joute**

combattre
à la lance

la lice

le jouteur

l'écuyer

poursuivre
le duel à l'épée

capturer un
adversaire

le cimier
en forme d'animal

former
des équipes

la mêlée

être tué

forcer l'adversaire
à s'enfuir

# Que
## gagne
## le vainqueur
?

Tu trouves les tournois violents?
En effet, ces drôles de jeux sont
des batailles pour de faux...
où l'on peut se faire très mal.

Le perdant offre au vainqueur
son cheval, son équipement
et une grosse somme d'argent.
Cela peut le ruiner!

Voilà le gagnant riche et célèbre.
D'après toi, que fait-il? Il fait
la fête, gaspille son argent...
et repart pour d'autres tournois.

L'écuyer **28**
Le code d'honneur **36**

# ♥ Le mariage

C'est un grand jour! Le chevalier épouse une riche jeune fille et devient seigneur.

s'échanger les anneaux

le prêtre

lancer des graines

le cercle d'or

les cheveux tressés

le contrat de mariage

le voile

le mari

la jeune mariée

le témoin

le témoin

le tapis de fleurs

les jongleurs

faire sonner
les cloches

porter de beaux
habits de fête

le cortège

les mendiants

le musicien

Un chevalier amoureux qui fait la cour à sa belle? C'est rare! Figure-toi qu'autrefois, les gens ne se mariaient pas par amour.

Les parents décident des époux de leurs enfants : ainsi les deux familles unissent leurs richesses et leurs terres.

Un seigneur peut aussi offrir sa fille à un chevalier pour le récompenser. Tu épouserais, toi, quelqu'un que tu n'as pas choisi?

# La mort

Le vieux seigneur-chevalier
arrive au bout de sa vie.
C'est bientôt fini pour lui...

faire des cadeaux aux
pauvres avant de mourir

faire des cadeaux
aux moines

faire des cadeaux
aux gens du château

donner sa place
à son fils aîné

hériter du château
et des terres de son père

donner des richesses
à ses autres fils

leur faire jurer de
ne pas se disputer

être mort

le cortège funèbre

le cercueil

les pleureurs

le noir, couleur
de la mort

la chapelle

le gisant

le tombeau

se réunir autour
d'un banquet

# Pourquoi

## n'existe-t-il plus de chevaliers ?

Rencontrer des chevaliers ? Impossible. Ils vivaient il y a des siècles. Et ils ne trouveraient pas leur place aujourd'hui !

Peu à peu, au Moyen Âge, des armes nouvelles sont apparues : l'arbalète, le canon... Trop dangereuses pour les chevaliers.

Et puis, ils ont préféré s'occuper de leur domaine ou devenir de riches marchands, plutôt que de faire la guerre. Fini la bagarre !

Une petite chronologie 84

# Voyons voir...

Le tournoi se déroule en trois étapes : la joute à la lance, le duel à l'épée et la mêlée. Reconnais-tu chaque scène? Remets-les dans l'ordre.

Relie avec ton doigt chacun de ces trois personnages à l'objet qui lui manque.

Le fauconnier tient son faucon.

Le veneur sonne le cor.

Le rabatteur rabat l'animal avec sa lance.

Parmi ces animaux, lesquels sont chassés par l'homme?
Lesquels sont dressés pour chasser?

Jouer, se détendre… En hiver, les chevaliers ne partent ni au combat ni à l'aventure.
Reconnais-tu ces jeux?

Que se passe-t-il dans cette image?
As-tu déjà assisté à un mariage? Sais-tu ce que c'est?

Est-ce que c'étaient des gens de ta famille
ou des amis de tes parents?

# ⏰ Une petite chronologie

les dinosaures

les hommes préhistoriques

les Égyptiens

les Romains

le roi Louis XIV

le roi Henri IV

la découverte de l'Amérique

Jeanne d'Arc

la Révolution française

les pirates

Napoléon Bonaparte

les cow-boys

les Gaulois

l'empereur
Charlemagne

les Vikings

les soldats des croisades

la peste noire

les soldats de la guerre
de Cent Ans

les chevaliers
du Moyen Âge

la Première
Guerre mondiale

la Seconde
Guerre mondiale

le premier homme
sur la Lune

aujourd'hui

# Les chevaliers célèbres

Ces chevaliers ont existé. On raconte leurs exploits, mais on n'est pas sûr que tout cela soit vrai...

Aux côtés de l'armée de Charlemagne, Roland se bat contre les Sarrasins et les Basques. Mais il tombe dans un piège et appelle au secours avant de mourir.

Le chevalier Du Guesclin est rusé : pour tromper les Anglais et entrer dans leur château, lui et ses hommes se déguisent en bûcherons.

le Prince Noir

Le Prince Noir d'Angleterre mène une terrible bataille contre les Français et fait des massacres.

Richard
Cœur de Lion

Richard Cœur de Lion, roi d'Angleterre, combat les Sarrasins
et fait massacrer de nombreux musulmans lors de sa croisade.

le chevalier
Bayard

Le chevalier Bayard, surnommé le « chevalier sans peur et sans reproche »,
combat une horde de soldats espagnols sur le pont du Garigliano, en Italie.

# Des chevaliers lointains

l'arc

le casque
ou le kabuto

le masque
de guerre

la cuirasse

les deux sabres

le suneate

le samouraï du Japon

l'armure du samouraï

le chevalier
rajput en Inde

le chevalier perse
sassanide

# Les chevaliers de légende

saint Georges

le dragon

la princesse

boire le philtre d'amour

Tristan

Yseult

Don Quichotte

les moulins

Sancho Pança

Rossinante

Dulcinée

# Les chevaliers de la Table ronde

le roi Arthur

le château de Camelot

les chevaliers de la Table ronde

Lancelot et Guenièvre

la fée Morgane et Avalon, son île sacrée

Mordred

Perceval le Gallois

l'enchanteur Merlin
et la Dame du Lac, Viviane

Yvain et son lion

Lancelot en errance

Arthur et son épée Excalibur

Tristan

Gauvain et le Chevalier vert

Lancelot défie Gauvain.

Galaad soigne Pellès.

Galaad, Bohort et Perceval trouvent le Saint-Graal.

la mort d'Arthur

# Ab L'index

mitaines 43
moine 8, 27, 29, 80
moissonner 16
monter à cheval 26
Mordred 90
mort 36, 47, 59, 61, 64, 67, 80, 91
moulin 10, 89
mourir 63, 86
mouton 17
Moyen Âge 8, 85
musicien 79

## N

naissance 24
Napoléon Bonaparte 84
nasal 42
navire 66
noir 46, 81
nom 25, 51
nourrice 24
nourrir 24, 26
nouveau-né 24

## O

orfèvre 14
orge 16
oubliettes 11
ours 19
ouvrier 9

## P

page 12, 25, 26, 39
pain 13
palefrenier 13
palefroi 49, 52
pape 8
parfumé 32
parrain 24

partager 37
pauvre 17, 37, 49, 80
pavois 63
payer l'octroi 14
pays 8
paysan 8, 9, 16, 20
pèlerin 14, 67
Pellès 91
Perceval le Gallois 90
perdant 77
père 25, 46
peste noire 85
peur 49, 63
philtre d'amour 89
piège 86
pierre 61
pillage 61
piller 66
pilori 15
pirate 66, 84
plante 18
pleureur 81
poissonnier 14
pommeau 51
pont-levis 10, 21
porte 14
porte-bonheur 51
porteur d'eau 15
potager 11, 17
potence 15
poterne 11
poule 17
poupée 25
Première Guerre mondiale 85
prénom 25
presser le raisin 16
prêtre 12, 20, 31, 78
prier 27, 30
Prince Noir 87
princesse 89
printemps 72
prisonnier 13, 65

projectile 69
promesse 36
propre 30
protéger 16, 24, 35, 66, 67
provisions 58
prudence 46
puissance 46
puits 10, 17, 21, 68
pur 30
pureté 46

## Q

quintaine 28

## R

rabatteur 75, 82
rançon 65
récolte 17, 58
récolter 18
réfléchir 29
règle 36
reine 8
religieuse 8
religion 8, 66, 73
rempart 14, 60
renard 18, 75
renforts 58, 61
réparer 26
repas 26, 32
résister 28
respecter 36
respirer 47
rêver 73
Révolution française 84
Richard Cœur de Lion 87
riche 35, 77
richesse 37, 79, 80
risquer 36
roi 8, 84

roi Arthur 90
Roland 86
Romain 84
roncin 49
Rossinante 89
rouge 46
route 58
routier 62, 68
rue 15
ruine 11

## S

s'amuser 37, 76
s'enfuir 77
s'ennuyer 72
s'entraîner 28
s'équiper 35
s'essuyer 33
s'habiller 26
sable 61
sabre 88
sage-femme 24
saint Georges 89
Saint-Graal 91
salade 47, 52
saleté 15
samouraï 88
Sancho Pança 89
sanglier 19, 74
Sarrasin 67, 86
sauvage 18, 74
se battre 26, 29, 57
Seconde Guerre mondiale 85
se décourager 28
se détendre 83
se disputer 80
seigneur 8, 10, 12, 16, 24, 26, 30, 36, 56, 67, 72, 78, 79
se laver 33
selle 26, 48
semer 16
se réfugier 19, 58

se rendre 59
serf 9
sergent 15
serpe 17
serpette 18
servante 12
servir 26
serviteur 13
sève 18
siège 58
sœur 24
soigner 26, 65, 67, 73
soldat 13, 20, 59, 85
soleret 45
sommier 49, 52
soule 73
soupe 17
spectacle 76
suneate 88
surcot 43
surnom 25

## T

table 32
Table ronde 90
tante 25
tapisserie 11
taverne 14
témoin 78
templier 67
tendre un piège 56
terre 11, 16, 19, 31, 57, 62, 79, 80
terre lointaine 66
tisane 73
tombeau 81
tondre 17
toupie 25
tournoi 34, 76, 82
trahir 36
traité de la paix 72
traître 57, 59, 68
tranchoir 33

transporter 58
trébuchet 61, 69
trésor 67
trictrac 72
Tristan 89, 91
trompette 76
trottoir 15
troubadour 32
tuer 16, 75
tunique 30

## V

vaillant 36
vainqueur 77
valet de chambre 13
valet de chiens 13
veau 15
veillée 17
veneur 75, 82
viande 26, 75
victorieux 65
vièle 32
vigne 16
Viking 85
vilain 9
ville 14, 66
vin 32
violent 63, 77
visière 47
Viviane 90
voile 78
voler 56, 61
voyager 49

## Y

yeux 47
Yseult 89
Yvain 91